D1252659

UN SAC DE BILLES

PREMIÈRE PARTIE

Un récit de Kris
d'après le roman de Joseph Joffo.

Dessin et couleur de Vincent Bailly.

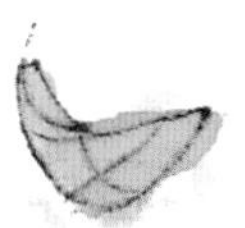

À Michel et Colette.
V. B.

À nous. Nous tous.
K.

Heureux comme Dieu en France.
Proverbe yiddish.

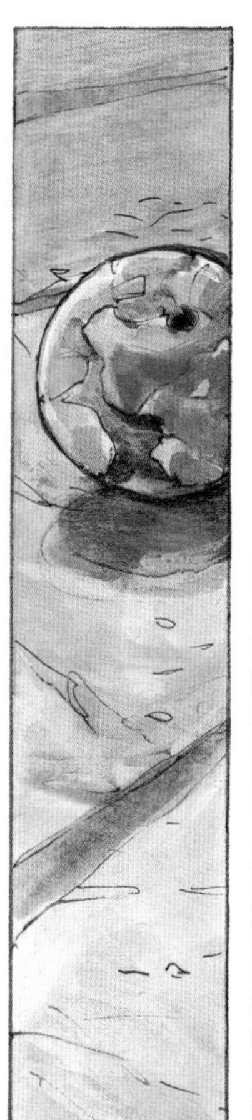

ALORS, MERDE, TU TE DÉCIDES?

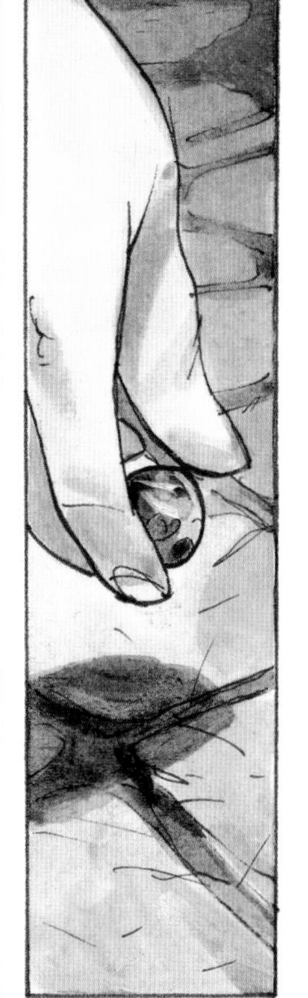

MAIS, BON DIEU, QU'EST-CE QUE TU FOUS ?!
CAFÉ BAR
BOULANGERIE
PATISSERIE
H TEL
REVOLUTIO
NATIONAL

T'ES MARRANT, TOI ! J'AI DÉJÀ RATÉ SEPT FOIS ET C'EST MA DERNIÈRE BILLE ! MA PRÉFÉRÉE EN PLUS ...

ET ALORS ?! JE VAIS PAS RESTER LE CUL PAR TERRE JUSQU'À DEMAIN !

POC

PARIS, RUE MARCADET, 1941.
GRAND HOTEL DU NORD
CAFÉ
TABAC
ARRÊTE DE CHIALER.

JE CHIALE PAS.

QUAND TU REGARDES DE L'AUTRE CÔTÉ, JE SAIS QUE TU CHIALES.

TIENS, RIGOLO.

MAIS À DIX ANS, ON CHIALE PAS POUR UNE BILLE.

ET FAUT QU'ON SE MAGNE, ÇA FAIT UNE DEMI-HEURE QU'ON DEVRAIT ÊTRE RENTRÉS! ON VA ENCORE SE FAIRE ENGUIRLANDER.

DING

EH BIEN, EH BIEN... VOILÀ ENFIN MES DEUX CHENAPANS!

DEVOIRS! ALLEZ, HOP! VOTRE MÈRE COMMENCE DÉJÀ À FULMINER
...

C'EST BON ? T'AS FINI ?
ATTENDS ! ÇA FAIT PAS QUARANTE-CINQ SECONDES QU'ON TRAVAILLE ! SI ON NE TRAÎNE PAS UN PEU, ON VA SE FAIRE REPRENDRE PAR MAMAN OU LES FRANGINS !

O.K., ALLEZ, ÇA DEVRAIT FAIRE L'AFFAIRE. ALLONS-Y !

C'EST DÉJÀ FINI, LES DEVOIRS ?!
HÉ ! C'EST PLUS FACILE À FAIRE QU'UNE COUPE AMÉRICAINE, HEIN, ALBERT !

OÙ QU'ON VA ?

J'SAIS PAS. LA TOURNÉE DES SONNETTES ? OU ON VA-T'Y EXPLORER LE "FLEUV..." ?!

Joffo
SS
...

TU PARIES QU'ILS VIENNENT POUR LEURS TIFS ?

BARBE 20
TAILLE 30

HIER, WARUM NICHT ?
Joffo - Coiffeur
JA, ES SIEHT MIR GUT AUS. AUF GEHT'S !

DING

ET
BARBE

Yiddish Gescheft
Vitabri
classe l'homme !

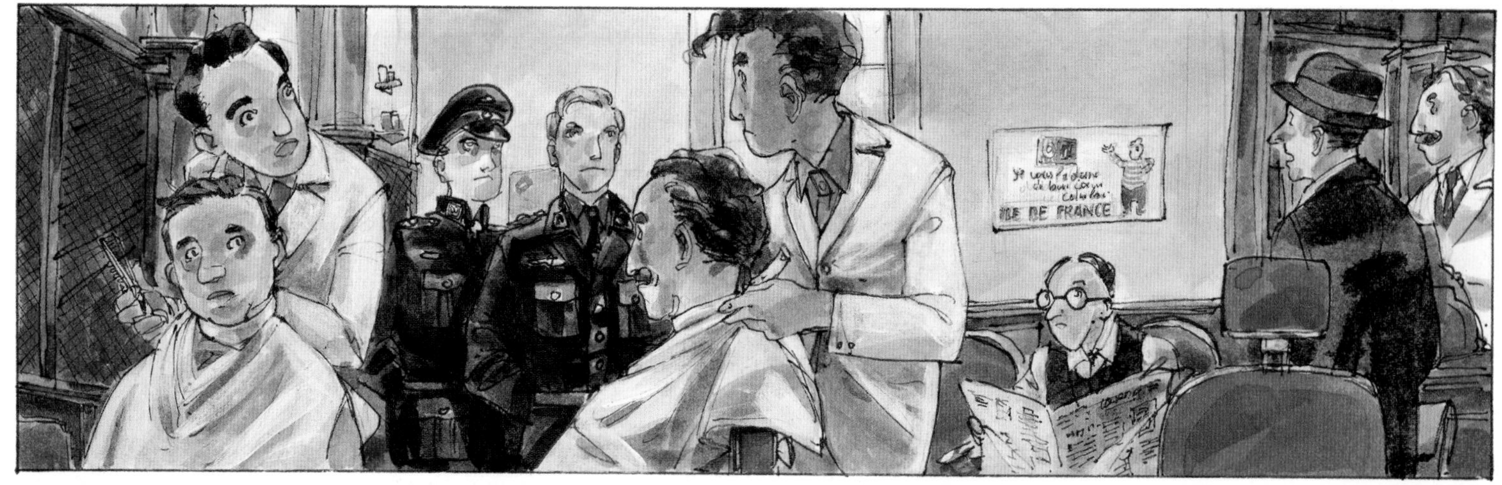

SI LE PREMIER DE CES MESSIEURS VEUT BIEN S'ASSEOIR.

MERCI.

BIEN DÉGAGÉ?

OUI. LA RAIE À DROITE, S'IL VOUS PLAÎT.

PAS DRÔLE LA GUERRE, HEIN ?
?

NON. PAS DRÔLE.

MAIS PARIS... JOLI ET PARISIENS... GENTILS. ÇA VA.

OUI ? TANT MIEUX. IL EST VRAI QUE LA FRANCE SAIT ACCUEILLIR LES ÉTRANGERS.
MAIS DE QUELLE RÉGION D'ALLEMAGNE ÊTES-VOUS ?

DE KARLSRUHE. FRONTIÈRE FRANÇAISE.
?!
MOI ET MON AMI, NOUS ... HABITONS LÀ-BAS.

DE KARLSRUHE ?! J'Y AI TRAVAILLÉ CINQ ANS ! AVANT LA GRANDE GUERRE. JE... JE SUIS ALSACIEN.
OH ?!

DER HERR KENNT KARLSRUHE ! ER IST ELSÄSSER !

JA, GUT !
ALSACIENS, FRANÇAIS, ALLEMANDS ... GUT ! AMIS !

À VOUS, LES PETITS GARÇONS ?

OUI. CE SONT DES VOYOUS.

AHA. LA GUERRE EST TERRIBLE. C'EST LA FAUTE AUX JUIFS.

VOUS CROYEZ ?

J'EN SUIS SÛR.

ET VOILÀ !
C'EST TERMINÉ POUR VOUS AUSSI.

TRÈS BIEN. MERCI.

VOUS ÊTES SATISFAITS ? VOUS AVEZ ÉTÉ BIEN COIFFÉS ?
TRÈS BIEN. EXCELLENT.

EH BIEN, AVANT QUE VOUS NE PARTIEZ, JE DOIS VOUS DIRE QUE TOUS LES GENS QUI SONT ICI SONT DES JUIFS.

JE VOULAIS PARLER DES JUIFS RICHES.

ET
BARBES
Yiddish
Gescheft

SUITE DE L'HISTOIRE.

LES AVENTURES DE VOTRE GRAND-PÈRE, JACOB JOFFO ...

OÙ EN ÉTIONS-NOUS DÉJÀ ?
QUAND LES POGROMES ONT COMMENCÉ !

AH OUI.
QUAND LES POGROMES ONT COMMENCÉ ...

...C'ÉTAIT IL Y A DÉJÀ LONGTEMPS, EN BESSARABIE RUSSE ...
DE TOUS NOS SOUVENIRS D'ENFANCE, À MAURICE ET À MOI, CES SOIRS D'HISTOIRES FAMILIALES FONT PARTIE DES MEILLEURS ...

LES AVENTURES DE MON GRAND-PÈRE S'IMBRIQUAIENT LES UNES DANS LES AUTRES COMME DES TABLES GIGOGNES, DANS UN DÉCOR DE DÉSERTS BLANCS DE NEIGE, DE VILLES AUX RUES TORTUEUSES ET SEMÉES DE CLOCHETONS DORÉS.

IL AVAIT DOUZE FILS, IL ÉTAIT RICHE, GÉNÉREUX, HEUREUX ET ESTIMÉ DANS SON VILLAGE AU SUD D'ODESSA ... JUSQU'AU JOUR OÙ COMMENCÈRENT LES POGROMES.

DANS MES YEUX S'AGITAIENT LES CROSSES DES FUSILS ET LES PAYSANS EN FUITE, TOURBILLONNAIENT LES FLAMMES ET LES LAMES DES SABRES ET, AU-DESSUS DE TOUT CELA, ÉMERGEAIT LA FIGURE GIGANTESQUE DE MON AÏEUL.

LA NUIT, DÉGUISÉ EN MOUJIK, IL ASSOMMAIT LES SOLDATS, AVEC L'ÂME PURE DU JUSTE QUI NE LAISSE PAS TUER SES AMIS SANS RIEN FAIRE, PUIS RENTRAIT CHEZ LUI EN SIFFLOTANT UN AIR YIDDISH.

ET PUIS LES MASSACRES S'AMPLIFIÈRENT. ET MON GRAND-PÈRE COMPRIT QU'IL NE POURRAIT ASSOMMER, À LUI TOUT SEUL, LES TROIS BATAILLONS TSARISTES ENVOYÉS DANS LA RÉGION. TOUTE LA FAMILLE DEVAIT DONC FUIR ET VITE.

S'ENSUIVIT UNE CAVALCADE ANIMÉE ET PITTORESQUE À TRAVERS TOUTE L'EUROPE OÙ SE SUCCÉDÈRENT LES NUITS D'ORAGE, LES BEUVERIES, LES RIRES, LES LARMES ET LA MORT.

ET PUIS, UN JOUR, ILS FRANCHISSAIENT UNE DERNIÈRE FRONTIÈRE. IL Y AVAIT DES CHAMPS DE BLÉ, DES CHANTS D'OISEAUX ET DES VILLAGES TOUT CLAIRS, AUX TOITS ROUGES AVEC UN CLOCHER.

SUR LA MAISON LA PLUS GRANDE, IL Y AVAIT UNE INSCRIPTION: LIBERTÉ - ÉGALITÉ - FRATERNITÉ. ALORS, LA PEUR QUITTAIT LES FUYARDS CAR ILS SAVAIENT QU'ILS ÉTAIENT ARRIVÉS.

CE SOIR-LÀ, NOUS ÉCOUTÂMES COMME D'HABITUDE, FASCINÉS ET LA BOUCHE OUVERTE.

L'AMOUR DES FRANÇAIS POUR LEUR PAYS PEUT PARAÎTRE TELLEMENT NATUREL, SANS DOUTE. MAIS JE SAIS QUE NUL N'A AIMÉ AUTANT CE PAYS QUE MES PARENTS, NÉS À HUIT MILLE KILOMÈTRES DE LÀ.

AH... SI VOTRE MÈRE VIENT, C'EST QU'IL DOIT ÊTRE PLUS QUE L'HEURE. ALLEZ, DODO !

NON, JE ME DEMANDAIS ...
TU... TU NE CROIS PAS QU'ON VA AVOIR DES ENNUIS MAINTENANT QUE LES ALLEMANDS SONT LÀ ?

NON, PAS ICI. PAS EN FRANCE. JAMAIS.

TANT QUE CES MOTS, LIBERTÉ, ÉGALITÉ, FRATERNITÉ SERONT ÉCRITS SUR LES MAIRIES, ÇA VEUT DIRE QU'ON SERA TRANQUILLES, ICI.

ALLEZ, BONNE NUIT, LES ENFANTS.

BONNE NUIT...
Sanitätspark 541
Der Militärbefehlshaber in Frankreich
LIBERTE
RF
EGALITE
RF
FRATERNITE

À TON TOUR, JO.

ALLEZ, VIENS! TU NE VEUX PAS ÊTRE EN RETARD À L'ÉCOLE JUSTE AUJOURD'HUI!

PLEURE PAS, TU VAS L'AVOIR AUSSI, TA MÉDAILLE!

PLUS LE DROIT D'ALLER AU CINÉMA, DE PRENDRE LE TRAIN, POURQUOI PAS DE JOUER AUX BILLES AUSSI ?!
PFF... SI AU MOINS ÇA INTERDISAIT D'ALLER À L'ÉCOLE!

ÇA SUFFIT, MAURICE!
VOILÀ, JO... C'EST BON POUR TOI AUSSI.

ET MAINTENANT, VOUS SAVEZ CE QU'IL VOUS RESTE À FAIRE ?

ÊTRE LES PREMIERS À L'ÉCOLE.
POUR FAIRE CHIER HITLER!

SI VOUS VOULEZ, OUI. C'EST UN PEU ÇA.

EXPOSITION
LE JUIF ET LA FRANCE
ON VA LA GARDER LONGTEMPS, L'ÉTOILE?
J'EN SAIS RIEN

POURQUOI, ÇA TE GÊNE ?
POURQUOI ÇA ME GÊNERAIT? C'EST PAS LOURD, ÇA M'EMPÊCHE PAS DE CAVALER, ALORS ...

JUIF
ALORS, SI ÇA TE GÊNE PAS, POURQUOI TU METS TON CACHE-NEZ DEVANT ?

JE METS PAS MON CACHE-NEZ DEVANT, C'EST LE VENT QUI L'A RABATTU DESSUS.
T'AS RAISON, MON PETIT POTE, C'EST LE VENT.
HÉ, JOFFO!

SALUT, ZÉRATI.
SAL... ?!

BON DIEU!

JUIF

COMMENT ÇA FAIT CHOUETTE, TON ÉTOILE ! T'AS VACHEMENT DU POT!

HÉ, LES MECS, VOUS AVEZ VU JOFFO ?!

T'ES PAS LE SEUL, IL Y EN A QU'ONT LA MÊME EN DEUXIÈME ANNÉE.

T'ES UN YOUPIN, TOI ?

C'EST LES YOUPINS QUI FONT QU'IL Y A LA GUERRE.

T'ES TOUT CON, TOI ! C'EST LA FAUTE À JO SI Y A LA GUERRE ?!

PARFAITEMENT ! FAUT LES VIRER, LES YOUDS !
T'AS VU SON TARIN ?

QU'EST-CE QU'IL A, MON TARIN ? C'EST PAS LE MÊME QU'HIER ?!
ALLEZ, LES ENFANTS, TOUS EN RANG !

FERMEZ VOS CAHIERS, MAINTENANT. NOUS REPRENONS DE MÉMOIRE : LE SILLON RHODANIEN...

LE SILLON RHODANIEN SÉPARE LES MASSIFS ANCIENS DU MASSIF CENTRAL ET...
DI-DILING
VIENS, JO, DÉPÊCHE-TOI ! C'EST LA RÉCRÉ !

HÉ, YOUPIN !

HÉ, YOUPIN ! YOUPIN !

YOUPIN ! YOUPIN !
YOUPIN !

ALORS, QU'EST-CE QUI SE PASSE ICI ?! VOUS VOULEZ ME FOUTRE LE CAMP, OUI ?!

...CAR C'EST BIEN AINSI QUE L'ON PEUT QUALIFIER L'AVENIR DE LA FRANCE, LA FRANCE DE L'AVENIR :

TRAVAIL, FAMILLE, PATRIE !!!
UN PETIT FRANÇAIS REGARDE BIEN EN FACE

Jo!

JE TE FAIS L'ÉCHANGE!
CONTRE QUOI ?
CONTRE TON ÉTOILE!

D'ACCORD.

VOILÀ.

TERRiiiBLE, MERCi!

PAS D'ÉCOLE CET APRÈS-MIDI.

C'EST VRAI ?! ... MAIS, NOS CARTABLES ?
J'IRAI LES REPRENDRE, NE VOUS EN OCCUPEZ PAS. QUARTIER LIBRE POUR LE RESTE DE LA JOURNÉE.

MAIS RENTREZ AVANT LA NUIT.
J'AI QUELQUE CHOSE À VOUS DIRE.

FAUT SE RENTRER, LA NUIT TOMBE.

TIENS ?!... PAPA A TIRÉ LE RIDEAU, DÉJÀ ?!

PAPA ?!...
MONTEZ! JE SUIS DANS VOTRE CHAMBRE.

HEU... ON... ON EST LÀ, P'PA.

OUI. ASSEYEZ-VOUS. JE VAIS VOUS RACONTER UNE HISTOIRE...

POUR UNE FOIS, JE VAIS VOUS PARLER DE MOI.
PETIT, JE VIVAIS EN RUSSIE DONT LE CHEF ÉTAIT LE TSAR. IL AIMAIT FAIRE LA GUERRE ET POUR ÇA, IL ENVOYAIT DES ÉMISSAIRES RAMASSER DES PETITS GARÇONS POUR EN FAIRE DES SOLDATS.
OR, MOI, JE NE VOULAIS PAS ÊTRE MILITAIRE. JE SAVAIS QUE JE SERAIS MALTRAITÉ. ALORS, LORSQUE J'AI EU L'ÂGE DE PARTIR, MON PÈRE EST VENU ME PARLER COMME...

COMME JE LE FAIS À MON TOUR CE SOIR, AVEC VOUS.
19

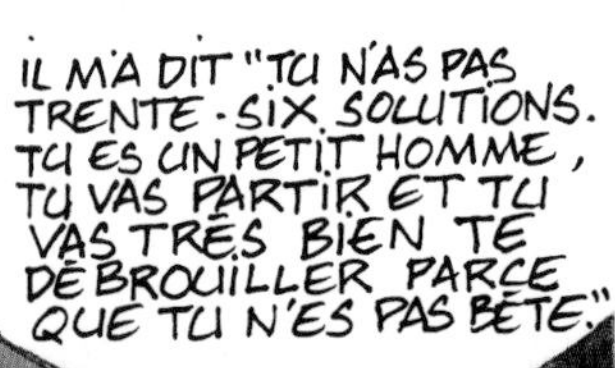

IL M'A DIT "TU N'AS PAS TRENTE-SIX SOLUTIONS. TU ES UN PETIT HOMME, TU VAS PARTIR ET TU VAS TRÈS BIEN TE DÉBROUILLER PARCE QUE TU N'ES PAS BÊTE".
J'AI DIT OUI. JE L'AI EMBRASSÉ, AINSI QUE MES SOEURS, ET JE SUIS PARTI. J'AVAIS SEPT ANS.

CE NE FUT PAS FACILE. MAIS J'AI GAGNÉ MA VIE TOUT EN ÉCHAPPANT AUX RUSSES. J'AI RENCONTRÉ DE BRAVES GENS ET D'AUTRES QUI ÉTAIENT MAUVAIS. J'AI MARCHÉ, BEAUCOUP. TROIS JOURS LÀ, UN AN AILLEURS, ET PUIS JE SUIS ARRIVÉ ICI OÙ J'AI ÉTÉ HEUREUX.

VOTRE MÈRE A EU UN PEU LA MÊME HISTOIRE. TOUT CELA, AU FOND, EST ASSEZ BANAL. JE L'AI CONNUE À PARIS, NOUS NOUS SOMMES AIMÉS, MARIÉS, ET VOUS ÊTES NÉS.
J'AI MONTÉ CE SALON DE COIFFURE, BIEN PETIT AU DÉBUT. L'ARGENT QUE J'AI GAGNÉ, JE NE LE DOIS QU'À MOI...

VOUS SAVEZ POURQUOI JE VOUS RACONTE TOUT ÇA ?

OUI, C'EST PARCE QUE, NOUS AUSSI, ON VA PARTIR.

OUI, LES GARÇONS. VOUS ALLEZ PARTIR. AUJOURD'HUI, C'EST VOTRE TOUR.

VOUS SAVEZ VOUS DÉFENDRE, MAIS VOUS NE POUVEZ PLUS REVENIR TOUS LES JOURS À LA MAISON DANS CET ÉTAT.

LORSQU'ON N'EST PAS LE PLUS FORT, LE COURAGE, C'EST DE LAISSER SON ORGUEIL DE CÔTÉ ET DE FOUTRE LE CAMP.

ET PUIS LES ALLEMANDS SONT PIRES QUE LES RUSSES : AUJOURD'HUI, C'EST L'ÉTOILE JAUNE, DEMAIN NOUS SERONS ARRÊTÉS. ALORS, IL FAUT FUIR.

MAIS TOI, ET MAMAN ?
VOS DEUX FRÈRES, HENRI ET ALBERT, SONT DÉJÀ EN ZONE LIBRE. VOUS PARTEZ CE SOIR. MAMAN ET MOI RÉGLONS ENCORE QUELQUES AFFAIRES ET NOUS PARTIRONS À NOTRE TOUR.

NE VOUS EN FAITES PAS : LES RUSSES NE M'ONT PAS EU À SEPT ANS, CE NE SONT PAS LES NAZIS QUI M'AURONT À CINQUANTE BERGES.

À PRÉSENT, RAPPELEZ-VOUS BIEN CE QUE JE DIS : CE SOIR, VOUS PRENDREZ LE MÉTRO JUSQU'À LA GARE D'AUSTERLITZ ET LÀ VOUS ACHÈTEREZ UN BILLET POUR DAX.
UNE FOIS DE L'AUTRE CÔTÉ, VOUS ÊTES EN FRANCE LIBRE, VOUS ÊTES SAUVÉS.
TOUT PRÈS DE DAX, VOUS IREZ DANS UN VILLAGE QUI S'APPELLE HAGETMAU ET LÀ, IL Y A DES GENS QUI FONT PASSER LA LIGNE DE DÉMARCATION POUR CEUX QUI, COMME VOUS, N'ONT PAS DE PAPIERS.

VOS FRÈRES SONT À MENTON, PRÈS DE LA FRONTIÈRE ITALIENNE. VOUS LES Y RETROUVEREZ. POUR TOUT ÇA, NOUS ALLONS VOUS DONNER CINQ MILLE FRANCS CHACUN.
LE TOUR DE LA FRANCE PAR DEUX ENFANTS
COURS MOYEN
PAR G. BRUNO
PARIS

CINQ MILLE FRANCS ?!
OUI. ÇA NE SERA PAS DE TROP.
ENFIN, IL FAUT QUE VOUS SACHIEZ UNE CHOSE : VOUS ÊTES JUIFS MAIS NE L'AVOUEZ JAMAIS. VOUS ENTENDEZ : **JAMAIS** !

JOSEPH, VIENS ICI.

TU ES JUIF, JOSEPH ?
NON.

NE MENS PAS! TU ES JUIF, JOSEPH?!

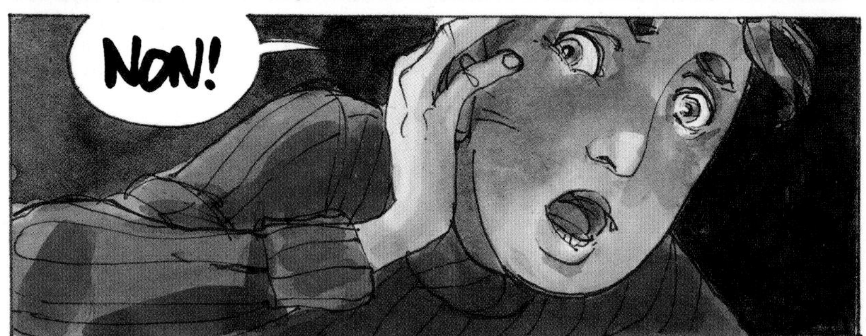
NON!

EH BIEN VOILÀ. JE CROIS AVOIR TOUT DIT.

PAPA?
OUI, JOSEPH?

C'EST QUOI, UN JUIF? ...

EH BIEN, ÇA M'EMBÊTE UN PEU DE TE LE DIRE, JOSEPH, MAIS, AU FOND... JE NE SAIS PAS TRÈS BIEN.

D'ACCORD, BON.
AUTREFOIS, NOUS HABITIONS UN PAYS. NOUS EN AVONS ÉTÉ CHASSÉS ET SOMMES PARTIS UN PEU PARTOUT, À TRAVERS LE MONDE.
...ET IL Y A DES PÉRIODES OÙ L'ON NOUS CHASSE DE NOUVEAU. ALORS, IL FAUT REPARTIR ET SE CACHER ...
... EN ATTENDANT QUE LE CHASSEUR SE FATIGUE.

DONG
DONG

EH BIEN VOILÀ, VOUS ÊTES PARÉS. DANS LA POCHE DE VOS MUSETTES, IL Y A VOS SOUS ET L'ADRESSE EXACTE D'HENRI ET ALBERT.
VOUS DITES AU REVOIR À MAMAN ET VOUS PARTEZ.

AU REVOIR, MAURICE.

AU REV... AU REVOIR, JO. À BIENTÔT.

MAIS ENFIN VOYONS! ON DIRAIT QU'ILS PARTENT POUR TOUJOURS ET QUE CE SONT DES NOUVEAU-NÉS! ALLEZ, SAUVEZ-VOUS. À BIENTÔT, LES ENFANTS.

23

PAR ICI! DÉGROUILLE-TOI !

PAR LÀ, C'EST PLUS LONG, MAIS IL Y A MOINS DE MONDE !

ET MAINTENANT, FAUT REPÉRER DANS LES PREMIERS LEQUEL EST LE PLUS SYMPA.

MONSIEUR, C'EST POUR MON PETIT FRÈRE : IL A MAL AUX PIEDS. ON VIENT DE LOIN, VOUS VOUDRIEZ PAS...
ALLEZ-Y, LES PETITS GARS, ON N'EST PAS À TROIS MINUTES PRÈS.

DEUX ALLERS POUR DAX EN TROISIÈME CLASSE.

Saint Jean 20"08
urne 21"05 - 23"
via Dax 21"10 - 22"
ngoulême 21
des 22
23
VOIE 7. ENCORE UNE DEMI-HEURE. ON VA ESSAYER D'AVOIR DES PLACES.

AH MERDE!
QUAI 2 VOIE 7

VISE LE MONDE: C'EST BONDÉ! VIENS, ON VA ESSAYER PLUS HAUT!

RÉSERVE SOLDATS ALLEMANDS

ALLEZ, ON VA LÀ.

QUEL BAZAR! JE PEUX MANGER MON SANDWICH?
OUI, MAIS PLANQUE-TOI UN PEU : TU VAS FAIRE DES ENVIEUX SINON.

ÇA Y EST, REGARDE! ON DÉMARRE!

VOUS ALLEZ LOIN, LES ENFANTS?
À DAXCH ...

ET VOUS VOYAGEZ SEULS? VOUS N'AVEZ PAS DE PARENTS ?

SI, ILS ...
ON LES REJOINT LÀ-BAS. ILS SONT MALADES. ENFIN, NOTRE MÈRE EST MALADE.

ET VOUS VOUS APPELEZ COMMENT ?
JOSEPH MARTIN. ET LUI, C'EST MAURICE MARTIN.

EH BIEN JOSEPH ET MAURICE, JE PARIE QUE VOUS AVEZ SOIF APRÈS CE MORCEAU DE PAIN!

OUI, MADAME.

ALORS, NOUS ALLONS BOIRE.
MAIS UNE PETITE QUANTITÉ, CAR IL FAUT QUE LA BOUTEILLE NOUS DURE JUSQU'AU BOUT!
26

CRRiiiiiiiii

DAX TERMINUS DU TRAIN!

IL Y EN A BEAUCOUP QUI ONT SAUTÉ EN MARCHE, AU RALENTISSEMENT.

VIENS. RENTRONS DANS LE COMPARTIMENT.

HALT!

HALT!

PAPIERS.

PAPIERS.

MONSIEUR LE CURÉ, NOUS N'AVONS PAS DE PAPIERS.

SI TU AS L'AIR AUSSI EFFRAYÉ, LES ALLEMANDS VONT S'EN APERCEVOIR SANS QUE TU LEUR DISES. METTEZ-VOUS PRÈS DE MOI, LES ENFANTS ...

PAPIERS.

PAPIERS!

PAPIERS.

MERCI.

C'EST TOUT?
OUI, MONSIEUR.

PRENEZ VOTRE VALISE ET SORTEZ DANS LE COULOIR.

MERCI.

C'EST BIEN VOUS ?
OUI. J'AI UN PEU MAIGRI, MAIS C'EST BIEN MOI.

AH, LA GUERRE, LES RESTRICTIONS... MAIS LES CURÉS NE MANGENT PAS BEAUCOUP !

C'EST PLUTÔT FAUX... POUR MON CAS, TOUT AU MOINS !
AU FAIT : LES ENFANTS SONT AVEC MOI.

HA ! HA ! BIEN. MAIS NE VOUS LAISSEZ PAS ALLER, MON PÈRE. DES GENS ONT BESOIN DE VOUS !

NOUS ALLONS POUVOIR DESCENDRE À PRÉSENT. OÙ ALLEZ-VOUS ENSUITE ?
À HAGETMAU. ET LÀ, NOUS ALLONS ESSAYER DE PASSER LA LIGNE DE DÉMARCATION.
BIEN. NOUS PRENDRONS UN PETIT DÉJEUNER AU BUFFET. PUIS JE VOUS MÈNERAI À LA GARE ROUTIÈRE.
30

TENEZ, C'EST ICI. VOUS POUVEZ ACHETER LES BILLETS AU COMPTOIR LÀ-BAS ET MOI, JE VAIS VOUS DIRE AU REVOIR.
AVANT TOUT, ON VOUDRAIT VOUS REMERCIER, MAURICE ET MOI, POUR CE QUE VOUS AVEZ FAIT.

MAIS QU'EST-CE QUE J'AI FAIT ?!
VOUS AVEZ MENTI POUR NOUS SAUVER EN DISANT QU'ON ÉTAIT AVEC VOUS.

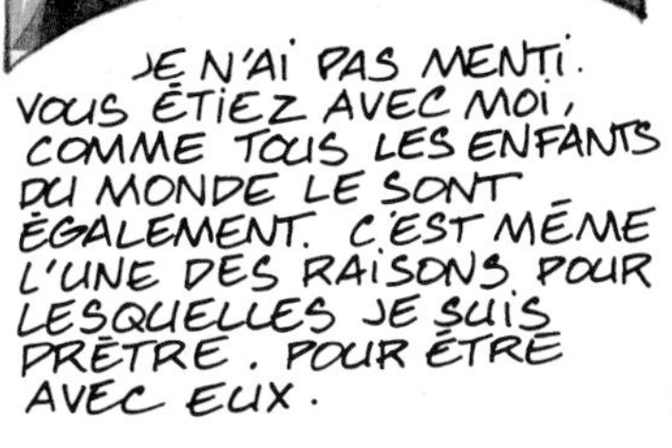
JE N'AI PAS MENTI. VOUS ÉTIEZ AVEC MOI, COMME TOUS LES ENFANTS DU MONDE LE SONT ÉGALEMENT. C'EST MÊME L'UNE DES RAISONS POUR LESQUELLES JE SUIS PRÊTRE. POUR ÊTRE AVEC EUX.

ALLEZ. IL FAUT ALLER VITE. À CERTAINS MOMENTS DE LA VIE, C'EST NÉCESSAIRE.
GARE ROUTIÈRE

MONSIEUR LE CURÉ, QU'EST-CE QU'ILS LUI ONT FAIT, À LA GRAND-MÈRE ?

RIEN. ILS NE LUI ONT RIEN FAIT. SIMPLEMENT, COMME ELLE N'AVAIT PAS SES PAPIERS, ILS L'ONT RENVOYÉE CHEZ ELLE.
MAIS VOUS, VOUS RÉUSSIREZ À PASSER.

OUI, MONSIEUR LE CURÉ...

ON PASSERA.

HAGETMAU

BON SANG, MAIS TOUT LE MONDE EST MORT ICI !

DONG
DONG
DONG
AH, C'EST VRAI, IL EST MIDI. TOUT LE MONDE MANGE.
ON...

ON POURRAIT PEUT-ÊTRE MANGER QUELQUE CHOSE, NOUS AUSSI ?

T'AS RAISON, ON Y VA. S'AGIT PAS DE TOMBER D'INANITION.
32

FERMEZ LA PORTE, LES ENFANTS, ON NE CHAUFFE PAS POUR LES PLATANES ! QU'EST-CE QUE VOUS VOULEZ ?

ON VOUDRAIT MANGER.
ALORS, METTEZ-VOUS PAR LÀ, LA TABLE DANS LE FOND !

LENTILLES AU LARD ET AUBERGINES FARCIES. EN DESSERT, FROMAGE 0% ET UN FRUIT. ET UN RADIS AU SEL POUR COMMENCER. ÇA VOUS IRA ?
TRÈS BIEN, D'ACCORD.

ON VA RETROUVER TOUTE LA RUE MARCADET DANS CE RESTAU... C'EST QUE DES GENS COMME NOUS, DES JUIFS EN FUITE.
MANGE TON DESSERT, ON NE VA PAS TRAÎNER DANS LE COIN.
33

BEN HEUREUSEMENT QU'ON NE RESTE PAS LONGTEMPS : VU CE QU'ON MANGE, ON FINIRAIT EN SQUELETTES! MES RADIS ÉTAIENT CREUX ET JE CHERCHE ENCORE LE LARD DANS LES LENTILLES AU LARD...

T'INQUIÈTE, ON VA ESSAYER DE PASSER DÈS CE SOIR. ÇA DEVRAIT ÊTRE MOINS DANGEREUX LA NUIT.
MAIS IL FAUT D'ABORD SE RENSEIGNER POUR TROUVER UN PASSEUR.
BONJOUR MADAME HUDOT! V'LA LA PETITE COMMANDE!

MERCI MADAME HUDOT! AU REVOIR, MADAME HUDOT, À LA PROCHAINE!
TIENS, LUI, LÀ...

HEP! ON VOUDRAIT UN PETIT RENSEIGNEMENT!
?!

JE VAIS VOUS LE DONNER AVANT QUE VOUS NE LE DEMANDIEZ : VOUS CHERCHEZ UN PASSEUR, C'EST ÇA ?
HEU... OUI, C'EST ÇA.

EH BIEN, C'EST FACILE : VOUS QUITTEZ LE VILLAGE PAR LA GRAND-ROUTE ET, À LA PREMIÈRE FERME À VOTRE DROITE, VOUS DEMANDEZ LE PÈRE BÉDARD. C'EST CINQ MILLE FRANCS PAR PERSONNE.

CINQ MILLE FRANCS?!

UNE AUTRE SOLUTION : JE PEUX VOUS FAIRE PASSER, MOI, RAYMOND, POUR CINQ CENTS BALLES.
MAIS VOUS FINISSEZ LA TOURNÉE DE BIDOCHE À MA PLACE. Y A LES ADRESSES SUR LES PAQUETS ET DES POURBOIRES À RÉCOLTER. VOUS PRÉFÉREZ ÇA ?
34

ON PRÉFÉRAIT ÇA...
ON SE RETROUVE À DIX HEURES CE SOIR...
... AU BAS DU PONT PRÈS DE L'ARCHE ! VOUS POUVEZ PAS VOUS GOURER, Y EN A QU'UN !

TU LES AS, CES MILLE FRANCS ?
BIEN SÛR QUE JE LES AI ! MAIS APRÈS ON N'AURA PRATIQUEMENT PLUS RIEN.
ENFIN, C'EST PAS GRAVE : UNE FOIS EN ZONE LIBRE, ON SE DÉBROUILLERA ! IMAGINE QU'ON NE SOIT PAS TOMBÉ SUR CE TYPE, À CINQ MILLE LE PASSAGE, ON ÉTAIT OBLIGÉS DE RESTER LÀ !

EN ATTENDANT, ON A DE LA BIDOCHE À LIVRER !

PSITT ...

N'AYEZ PAS PEUR, JE... JE NE VOUS VEUX PAS DE MAL.

EXCUSEZ-MOI, VOUS ÊTES DU PAYS ?
NON.

VOUS ÊTES JUIFS ?
NON.

MOI SI. J'AI MA FEMME ET MA BELLE-MÈRE DANS LES BOIS. JE CHERCHE À PASSER.
QU'EST-CE QUI VOUS EST ARRIVÉ ?

UN PASSEUR NOUS A ABANDONNÉS EN PLEINE NUIT ET DANS LES BOIS À UNE TRENTAINE DE KILOMÈTRES D'ICI. JE SUIS TOMBÉ EN TENTANT DE LE RATTRAPER, IL NOUS AVAIT PRIS VINGT MILLE FRANCS. DEPUIS NOUS MARCHONS...

ÉCOUTEZ : NOUS AUSSI, ON VA PASSER. REJOIGNEZ-NOUS À DIX HEURES SOUS LE PONT, À L'AUTRE BOUT DU VILLAGE. VOUS DEMANDEREZ À NOTRE GUIDE S'IL PEUT VOUS PRENDRE AUSSI.

MERCI ! MERCI DE TOUT MON COEUR ! NOUS SOMMES SI FATIGUÉS...

J'ESPÈRE QUE ÇA MARCHERA ET QUE... ENFIN, À CE SOIR ! MERCI, MERCI ENCORE !
36

ON A QUAND MÊME INTÉRÊT À SE MÉFIER. IL Y EN A QUI ONT DE DRÔLES DE FAÇONS DE GAGNER LEUR VIE DANS CE PAYS.
TU CROIS QUE CE RAYMOND SERAIT CAPABLE DE...
JE N'EN SAIS RIEN, MAIS JE VAIS FAIRE ATTENTION.

LA PREMIÈRE CHOSE, C'EST DE NE PAS LE QUITTER D'UNE SEMELLE... ?!
CRAC

AH, VOUS VOILÀ. RAYMOND NE DEVRAIT PAS TARDER.
OUI, POURVU QUE...
CHUT! ÉCOUTEZ!

C'EST LUI! DIS DONC, IL N'EST PAS DISCRET!

HELLO! EH BEN... VOUS VOUS ÊTES MULTIPLIÉS PENDANT LA JOURNÉE ?!
CE SONT DES GENS QUI VOUDRAIENT PASSER AUSSI. ILS SONT ÉPUISÉS ET ILS ONT DE L'ARGENT.

C'EST D'ACCORD. ILS SONT TROIS? BONNE SOIRÉE! D'HABITUDE, LES AUTRES PASSEURS NE M'EN LAISSENT PAS TANT!

ALLEZ, EN ROUTE!
37

CRAC
ZUT! CHIÉÉÉ ...

T'EN FAIS PAS, MON P'TIT POTE, C'EST PAS LA PEINE DE FAIRE LE SIOUX. TU MARCHES DERRIÈRE MOI, TU FAIS CE QUE JE FAIS ET TU T'OCCUPES PAS DU RESTE!

HEU ... RAYMOND: IL ME SEMBLE QU'IL Y A QUELQU'UN SUR NOTRE DROITE.
JE SAIS, UNE DOUZAINE. C'EST LE VIEUX BRANCHET QUI LES FAIT PASSER. ON VA LEUR LAISSER PRENDRE DE L'AVANCE ET PUIS ON SUIVRA... ON PEUT S'ASSEOIR UN MOMENT.

ON EST ENCORE LOIN?
EN LIGNE DROITE, ON Y SERAIT TOUT DE SUITE, MAIS ON VA CONTOURNER LA CLAIRIÈRE.
38

OK, C'EST BON. ON Y RETOURNE!

PARFAIT! RAMENEZ-VOUS TOUS!

VOUS ALLEZ SUIVRE CETTE ALLÉE. DEUX CENTS MÈTRES À PEINE ET VOUS TOMBEZ SUR UN FOSSÉ. GAFFE, IL EST PROFOND ET IL Y A DE L'EAU. PASSÉ ÇA, VOUS TROUVEREZ UNE FERME.

VOUS Y ENTREZ, MÊME S'IL N'Y A PAS DE LUMIÈRE, LE FERMIER EST AU COURANT. VOUS POURREZ COUCHER DANS LA PAILLE ET VOUS N'AUREZ PAS FROID.
PARCE QUE ... C'EST LA ZONE LIBRE LÀ-BAS?

LA ZONE LIBRE ?!

MAIS ON Y EST DÉJÀ!

MAIS ...?! C'EST TOUJOURS AUSSI CALME D'HABITUDE ?! JE CROYAIS QU'Y AURAIT DES MIRADORS, DES BARBELÉS, DES PATROUILLES AVEC DES CHIENS, TOUT ÇA !

ON DIRAIT QUE ÇA TE DÉÇOIT ! NON, RIEN DE TOUT ÇA. EN GÉNÉRAL, ÇA SE PASSE BIEN. ICI, LES POSTES SONT ÉLOIGNÉS ET LE SEUL DANGER, C'EST LES PATROUILLES.

MAIS ILS SONT OBLIGÉS DE PASSER PAR LE GUÉ PRÈS DE LA FERME BADIN ET, DÈS QU'IL LES VOIT, LE VIEUX EXPÉDIE SON FILS POUR PRÉVENIR.

MAIS N'ALLEZ PAS VOUS IMAGINER QUE C'EST PARTOUT AUSSI FACILE. À MOINS DE 25 BORNES D'ICI, IL Y A EU DES MORTS Y'A PAS LONGTEMPS ET ÇA DEVIENT DE PLUS EN PLUS DUR.

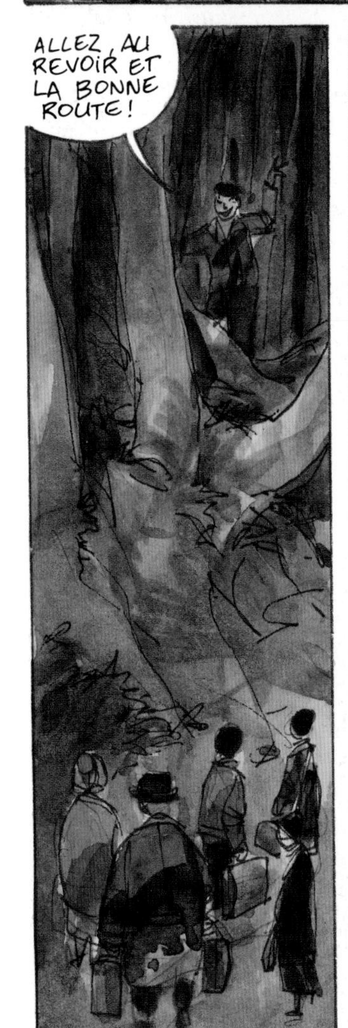
ALLEZ, AU REVOIR ET LA BONNE ROUTE !

VOUS Y ÊTES, LES PETITS.
?!

VOUS AVEZ DE LA PAILLE DANS LA REMISE ET DES COUVERTURES DERRIÈRE LA PORTE.
DORMEZ TANT QUE VOUS VOULEZ.

SI VOUS AVEZ BESOIN DE QUELQUE CHOSE, VOUS POUVEZ FRAPPER AU PETIT CARREAU PRÈS DU POULAILLER, C'EST LÀ QUE JE DORS, VOYEZ ? ALLEZ, BONNE NUIT.
D'ACCORD. MERCI, BONSOIR, MONSIEUR !

?...

MAURICE ?!

Je vais
revenir
ne dis rien
à person

OH, PARDON! EXCUSEZ-MOI!
?!

MAURICE ?! P... MAIS T'ÉTAIS OÙ ?!

J'AI REPASSÉ LA LIGNE ET J'AI RAMENÉ D'AUTRES RÉFUGIÉS

TU AS QUOI ?!

J'AI REPASSÉ HUIT FOIS LA LIGNE, J'AVAIS BIEN REPÉRÉ LE CHEMIN.
ET J'AI RAMENÉ UNE BONNE QUARANTAINE DE PERSONNES. MAIS IL FAIT PRESQUE JOUR DÉSORMAIS, JE VAIS ME COUCHER ...

MAIS T'ES MABOUL ! ET SI TU T'ÉTAIS FAIT PRENDRE, J'AURAIS FAIT QUOI, MOI ?! ET POURQUOI T'AS FAIT ÇA ?!
C'EST PAS PARCE QU'ON EST EN ZONE LIBRE QU'ON N'AURA PLUS BESOIN DE FRIC POUR MANGER ET VOYAGER, QU'EST-CE QUE TU CROIS ?!
TIENS, Y A VINGT MILLE BALLES, T'AS QU'À COMPTER !

ET MAINTENANT LAISSE-MOI DORMIR. JE ME SUIS RENSEIGNÉ : ON IRA PRENDRE LE TRAIN POUR MARSEILLE À AIRE-SUR-L'ADOUR TOUT À L'HEURE ET C'EST PAS VRAIMENT LA PORTE À CÔTÉ ...

_VINGT-SEPT KILOMÈTRES À PIED, ÇA USE, ÇA USE-EU ! VINGT-SEPT KILOMÈTRES À PIED ...

VINGT-HUIT KILOMÈTRES À PIED ...

... ÇA USE LES SOULIERS.

VINGT-HUIT KILOMÈTRES, TU PARLES, ON N'A PAS FAIT TROIS BORNES ENCORE !
TU VEUX UN BOUT DE PAIN ?

PAS PENDANT L'EFFORT. TOUS LES SPORTIFS LE SAVENT, ÇA COUPE LE SOUFFLE !
MAIS ON N'EST PAS DES SPORTIFS !

NON, MAIS ON A ENCORE DU CHEMIN À FAIRE. ALORS, VAUT MIEUX PAS.
D2
AIRE SUR L'ADOUR 18
D2

TU BOITES ?
T'OCCUPE PAS.

♫♪
VINGT-NEUF KILOMÈTRES À PIED...

D2
AIRE SUR L'ADOUR 17
44

BON, ALLEZ, STOP!
?!
D2

IL FAUT QUE JE M'ARRÊTE, J'AI LE COUP DE BARRE. JE N'AI PAS ASSEZ DORMI.

OK. DORS UN PEU ALORS, ÇA IRA MIEUX TOUT À L'HEURE. ON N'EST PAS PRESSÉS.

T'AS UNE BONNE TÊTE DE BÂTARD PARISIEN, TOI! JE NE SAIS PAS D'OÙ TU SORS, MAIS TU ES PEUT-ÊTRE UN CHIEN JUIF AUSSI!

MERDE... C'EST BIEN CE QUE JE PENSAIS. VACH'TE D'AMPOULE...

AVEC ÇA, JE SENTIRAIS MOINS LE FROTTEMENT, DÉJÀ.

GNNN !!!

AH, C'EST MIEUX COMME Ç...?!
CRiii

CRiii

HOOO!

PARDON, M'SIEU: VOUS N'ALLEZ PAS À AIRE-SUR-L'ADOUR PAR HASARD?
SI FAIT, JE M'Y RENDS. JE M'ARRÊTE DEUX KILOMÈTRES AVANT POUR ÊTRE EXACT.
ET VOUS ?

ENFIN, EST-CE QUE VOUS POURRIEZ NOUS EMMENER MON FRÈRE ET MOI DANS VOTRE FIACRE?

MON JEUNE AMI, CE VÉHICULE N'EST PAS UN FIACRE! C'EST UNE CALÈCHE!

AH BON, EXCUSEZ-MOI.
SACHEZ QU'IL EST BON, DÈS LE PLUS JEUNE ÂGE, D'APPRENDRE À NOMMER LES CHOSES PAR LEUR NOM! MAIS QU'IMPORTE, MON GARÇON, VOUS POUVEZ PARTAGER CETTE VOITURE.
?!

MERCI, M'SIEU!
BON DIEU! OÙ TU AS TROUVÉ ÇA?!..

COMME VOUS LE CONSTATEZ, LA VITESSE EST RÉDUITE ET LE CONFORT RUDIMENTAIRE. MAIS CELA EST PRÉFÉRABLE À LA MARCHE. MON AUTOMOBILE M'A ÉTÉ RÉQUISITIONNÉE POUR SERVIR À UN QUELCONQUE OFFICIER EN ZONE OCCUPÉE.
QUANT À CE CHEVAL, SI J'OSE L'APPELER AINSI, C'EST LE DERNIER QU'ON M'AIT LAISSÉ. IL FAUT DIRE QUE SES JOURS SONT COMPTÉS ET, D'ICI PEU, JE NE POURRAI PLUS L'ATTELER.
D2
AIRE SUR L'ADOUR 16

AU FAIT, JE ME PRÉSENTE : JE SUIS LE COMTE DE V.

VOYEZ-VOUS, MES ENFANTS, LORSQU'UN PAYS PERD UNE GUERRE DE FAÇON AUSSI NETTE ET DÉFINITIVE, C'EST QUE LE POUVOIR NE S'EST PAS MONTRÉ À LA HAUTEUR.
ET JE LE DIS BIEN HAUT : LA RÉPUBLIQUE NE S'EST PAS MONTRÉE À LA HAUTEUR !

LA FRANCE NE FUT GRANDE QU'AU TEMPS DES ROIS ! JAMAIS SOUS LA MONARCHIE, ON N'EÛT ACCEPTÉ D'ÊTRE COLONISÉ DE L'INTÉRIEUR PAR TOUTES SORTES D'ÉLÉMENTS ÉTRANGERS QUI ONT AMENÉ LE PAYS AU BORD DE L'ABÎME...

IL A MANQUÉ À LA FRANCE UN GRAND MOUVEMENT DE RÉACTION NATIONALE QUI LUI AURAIT PERMIS DE RETROUVER UNE FOI ET UNE FORCE QUI, SEULES, AURAIENT PERMIS DE REJETER LE TEUTON AU-DELÀ DES FRONTIÈRES !

CES MOTS, "LIBERTÉ, ÉGALITÉ, FRATERNITÉ", ONT BERCÉ LE PEUPLE D'UN FOL ESPOIR, MASQUANT LES VÉRITABLES VALEURS DU GÉNIE FRANÇAIS : GRANDEUR, SACRIFICE, ORDRE, PURETÉ...

JEUNES GENS, VOUS M'AVEZ ÉCOUTÉ AVEC ATTENTION ET SAGESSE.
D2
AIRE SUR L'ADOUR 2 Km

ET JE NE DOUTE PAS QUE CES PROPOS N'AIENT BIENTÔT UN RETENTISSEMENT PROFOND DANS VOS JEUNES CERVELLES.
AUSSI, POUR VOUS REMERCIER ET VOUS FÉLICITER, VAIS-JE VOUS CONDUIRE JUSQU'À LA GARE.

NE ME REMERCIEZ PAS.
47

SPLENDIDE HOTEL
PURÉE !!!

MARSEILLE, NOUS VOILÀ !

PATHÉ PALACE
3 SALLES
LAINE
HÉ MAURICE ! REGARDE !

PATH
C'EST PAS TROP CHER ...

Le film en couleurs
le plus prodigieux du siècle
aventures fantastiques
DU BARON
Munchhausen
HANS ALBERS
NON. ET PUIS, ON A LE TEMPS, ON REPREND LE TRAIN POUR MENTON QUE CE SOIR. MAIS ÇA N'OUVRE QU'À DIX HEURES.

ALORS, ON VA FAIRE UN TOUR ET PUIS ON REVIENT!
LE FRANÇAIS

TABACS
CIGARES
CAFE DE LA
GLACI

OH ...?!

MERDE.

LA MER ...
N ET SPIRITUEUX
49

ALORS, LES PETITS, ON S'OFFRE LE CHÂTEAU D'IF ?

ON EMBARQUE ET ON S'EN VA!

NON, DÉSOLÉ, ÇA REMUE TROP ET ON SERAIT MALADES ...

HA! HA! HA! EH BIEN, JE CROIS QUE VOUS AVEZ RAISON! À VOUS ENTENDRE PARLER, ON COMPREND QUE VOUS N'ÊTES PAS DU PAYS, VOUS AUTRES!

NON, ON VIENT DE PARIS.
ALORS, PRENEZ AU MOINS LE BATEAU POUR TRAVERSER LE PORT! ÇA VOUS FERA UNE PREMIÈRE EXPÉRIENCE ...

BAR

LE CHAT NOIR

HÉÉÉ !

HA! HA! QU'IL EST BEAU TON BÉRET, MON MIGNON!

HOP! À TOI, MARIA!

ALLEZ, MIGNON, VIENS VITE LE CHERCHER!

EH BEN ALORS, QU'EST-CE QUE TU ATTENDS? DANS QUELQUES ANNÉES, TU AURAIS DÉJÀ ENLEVÉ LE RESTE, TU SAIS! HA! HA! HA!
À la lune

HO, MARIA! TU N'AS PAS HONTE DE T'EN PRENDRE AUX PITCHOUNS?! RENDS-LE-LUI!

ALLEZ, VAÏ, ALLEZ-VOUS-EN VITE, GARNEMENTS!

MERCI ET AU... AU REVOIR, MADAME.

PFFF... BON, ALLEZ, RETROUVONS LA MER SINON ON VA SE PERDRE! ET PUIS, ÇA DOIT ÊTRE L'HEURE DU FILM.
52

ON A ENCORE PAS MAL DE TEMPS AVANT LE DÉPART. QU'EST-CE QU'ON FAIT?

MERDE, 16 H! REVOIR TROIS FOIS LE MÊME FILM, ON A UN PEU EXAGÉRÉ...
OUI, MAIS IL ÉTAIT GÉNIAL! PAR CONTRE, J'AI MAL AU CRÂNE ET J'AI FAIM! ON SE PREND UNE PÂTISSERIE?
ON POURRAIT ALLER VOIR LA MER. ENCORE UN PEU...

PAR LÀ, C'EST L'AFRIQUE

ET MENTON, OÙ C'EST, MENTON?
C'EST TOUT LÀ-BAS, PRÈS DE L'ITALIE.
ON DEVRAIT RETROUVER FACILEMENT LES FRANGINS: J'AI L'ADRESSE ET PUIS, LES SALONS DE COIFFURE NE DOIVENT PAS ÊTRE SI NOMBREUX.

?...

EXCUSEZ-MOI...

HÉ ! DIS DONC, OÙ TU VAS, TOI ?

JE VAIS PRENDRE LE TRAIN.

ÇA, ON S'EN DOUTE. TU AS DES PAPIERS?
NON, C'EST PAPA QUI LES A.
OÙ IL EST, TON PÈRE?
54

LÀ-BAS, IL S'OCCUPE DES VALISES.

TU HABITES OÙ ?
À MARSEILLE.
QUELLE ADRESSE ?
LA CANEBIÈRE, AU-DESSUS DU PATHÉ.

C'EST MON PÈRE QUI EST PROPRIÉTAIRE DU CINÉMA.

TU Y VAS SOUVENT, ALORS ?
OUI. À CHAQUE NOUVEAU FILM. EN CE MOMENT, C'EST LE "BARON DE MUNCHAUSEN". C'EST TRÈS BEAU !

OK, ALLEZ, FILE VITE !
MERCI ! AU REVOIR, MESSIEURS !

ESQUIMAUX

?!

QUIMAU
55

BONJOUR, MONSIEUR ! QUELLE HEURE EST-IL S'IL VOUS PLAÎT ?!
?!

TU NE SAIS PAS LIRE L'HEURE ?

SI, BIEN SÛR, JE SAIS LA LIRE !
EH BIEN, TU LÈVES LES YEUX ET TU VERRAS LA PENDULE QUI TE RENSEIGNERA AUSSI BIEN QUE MOI !

AH OUI, MERCI, M'SIEU !

?!

C'EST BON, ILS SONT PASSÉS ... VIENS.

J'AI ENTENDU DES GENS PARLER, IL Y A PLEIN DE CONTRÔLES DANS LA GARE DES TAS DE GENS SONT ARRÊTÉS.
QU'EST-CE QU'ON FAIT, ALORS ?

ON PEUT RESSORTIR DE LA GARE, MAIS ON PERD NOS BILLETS, ILS NE SONT VALABLES QUE POUR CE SOIR...
OUI, ET PUIS SI ON RESTE, ON DORMIRAIT OÙ ? MÊME DANS LES HÔTELS AUTOUR, IL DOIT Y AVOIR DES VÉRIFICATIONS.

REGARDE DERRIÈRE TOI...

MERDE ...

CETTE FOIS, C'EST LA RAFLE !

ÉCOUTE : SI ON SUIT LA VOIE, ON ARRIVERA BIEN À UNE AUTRE GARE !
– NON, ON POURRAIT SE FAIRE ÉCRASER. ET PUIS IL Y A DES TYPES QUI TRAVAILLENT, QUI GARDENT LES VOIES, ON SE FERAIT ENCORE PLUS REPÉRER.

LE TRAIN POUR L'ITALIE, VIA MENTON, ENTRE EN GARE, VOIE 5. JE RÉPÈTE ...
C'EST LE NÔTRE ! VIENS, ON FONCE !
57

NOUS NOUS SOMMES MÊLÉS AU RUSH ET AVONS FONCÉ DANS LES PREMIERS.

IL Y A EU UN INSTANT DE PAGAILLE, LES CONVOIS ÉTAIENT RARES ET SURCHARGÉS.

MAIS LA CHANCE ÉTAIT POUR NOUS : LES CONTRÔLEURS N'AVAIENT PAS VERROUILLÉ LES PORTIÈRES ET NOUS AVONS PU GRIMPER.

AVEC PLUS D'UNE DEMI-HEURE DE RETARD, LE TRAIN S'EST ÉBRANLÉ ET NOUS AVONS POUSSÉ UN ÉNORME SOUPIR DE SOULAGEMENT. C'ÉTAIT LA DERNIÈRE ÉTAPE.
58

LE VOYAGE FUT LONG, C'ÉTAIT UN VRAI TORTILLARD.
IL Y AVAIT SOUVENT DES ARRÊTS EN RASE CAMPAGNE. DES OUVRIERS MARCHAIENT SUR LE BALLAST ET DANS UN DEMI-SOMMEIL, J'ENTENDAIS LEURS VOIX, LEUR ACCENT, LEURS IMPRÉCATIONS.

LE JOUR S'EST LEVÉ VERS CANNES ET PEU APRÈS, LE TRAIN EST ARRIVÉ À MENTON.

SANS TROP SAVOIR COMMENT...
MENTO

... JE ME SUIS RETROUVÉ SUR UNE PLACE, DES PALMIERS BALANÇAIENT LEURS FEUILLES AU-DESSUS DE NOS TÊTES.

C'ÉTAIENT LES PREMIERS QUE JE VOYAIS.
KRIS - BAILLY - JOFFO
SUITE ET FIN DANS LE PROCHAIN VOLUME

Merci à Joseph Joffo évidemment, en tout premier, qui nous a laissé nous emparer de son texte et de son histoire. Et à tous ceux qui continuent de mettre ce livre entre les mains des gamins.

K. et V. B.

Merci à OlivierFéjoz pour sa traduction en allemand, pages 7 et 9.

Des mêmes auteurs

Aux Éditions Futuropolis

Coupures irlandaises

Vincent Bailly

Aux Éditions Les Humanoïdes Associés

En collaboration avec Luc Brunschwig :
Angus Powderhill *(deux tomes parus)*

Aux Éditions Delcourt

En collaboration avec Isabelle Mercier et Roger Seiter :
Cœur de sang *(trois tomes parus)*

Kris

Aux Éditions Futuropolis

En collaboration avec Maël :
Notre Mère la guerre *(deux tomes parus)*

En collaboration avec Étienne Davodeau :
Un homme est mort

En collaboration avec Éric T. et Nicoby :
Les Ensembles contraires *(deux tomes)*

En collaboration avec Guillaume Martinez :
Le Monde de Lucie *(trois volumes)*

Aux Éditions Glénat

En collaboration avec Gilles Mezzomo :
Destins, tome 6 : Déshonneurs

Ce livre est une adaptation de l'œuvre de Joseph Joffo, *Un sac de billes* © JC Lattès, 1973.

www.futuropolis.fr

Éditeur : Claude Gendrot, pour Futuropolis.

Conception et réalisation graphique : Didier Gonord, pour Futuropolis.

Photogravure : Sphinx.

Cet ouvrage a été imprimé en mars 2011, sur du papier Condat Matt Périgord 135 g, chez Lesaffre à Tournai, Belgique.

Dépôt légal : avril 2011.

ISBN : 978-27548-0267-3
724120